Un viaje fantástico

Joma

ediciones SM Joaquín Turina 39   28044 Madrid

Colección dirigida por **Marinella Terzi**

Primera edición: noviembre 1991
Segunda edición: abril 1992
Tercera edición: diciembre 1994
Cuarta edición: octubre 1996

Traducción del catalán: *Rosa Huguet*

Título original: *Un viatge fantàstic*
© del texto y de las ilustraciones:
   Josep Maria Rius, 1991
© Ediciones SM
   Joaquín Turina, 39 - 28044 Madrid

Comercializa: CESMA, SA - Aguacate, 43 - 28044 Madrid

ISBN: 84-348-3514-2
Depósito legal: M-33121-1996
Fotocomposición: Grafilia, SL
Impreso en España/Printed in Spain
Orymu, SA - Ruiz de Alda, 1 - Pinto (Madrid)

Dicen que un día,
un buen hombre,
después de contemplar mucho rato
todo lo que divisaba
desde su ventana,
quiso salir a ver mundo.
Quería ver más cosas,
cosas diferentes,
cosas de otros lugares...
¡Quería ver cosas maravillosas!

5

Sacó una maleta de un armario
y metió dentro
todo cuanto necesitaba
para hacer un largo viaje.

Esperó a que se hiciera de noche
y se fue al puerto.
De todos los barcos que había,
subió al que iba más lejos.

En cuanto hubo embarcado,
fue a cubierta
para buscar al capitán,
y le explicó el motivo de su viaje.

Entonces,
el capitán lo acompañó al camarote
que tenía mejor vista:
el veintiocho.

El hombre le dio las gracias
y se despidió.
El capitán subió a cubierta.
El hombre deshizo la maleta
y se sentó en la litera
para comprobar si era cómoda.
Satisfecho, se levantó
y miró por el ojo de buey,
la ventana redonda del camarote.

Mientras tanto,
ya habían embarcado
todos los pasajeros.
Y el barco,
con la ayuda del práctico,
salió del puerto
haciendo sonar la sirena.

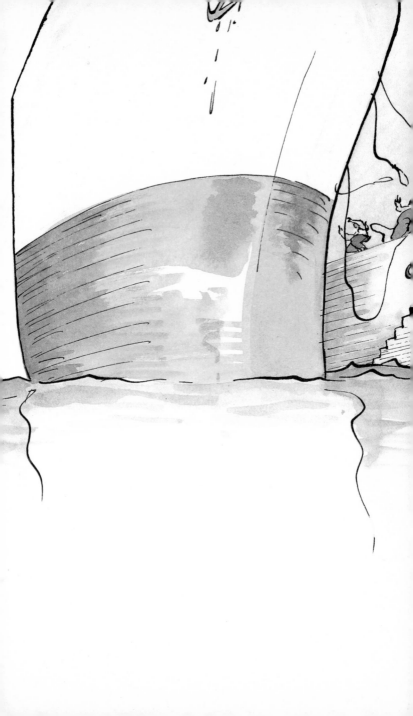

Los pescadores
que estaban en la escollera,
el farero
y unos cuantos paseantes
fueron los últimos
en decirle adiós.

Ya en alta mar,
todos los pasajeros bajaron
a sus camarotes.

Y poco a poco,
la gente se fue durmiendo.
Primero, unos...

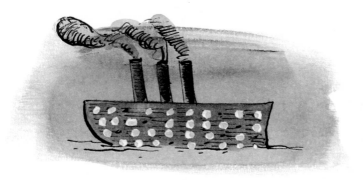

Luego, otros...
Y otros más.

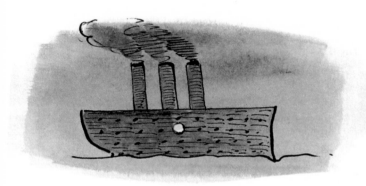

Finalmente, todos.

El barco navegaba por el ancho mar.
Todos los ojos de buey
se habían apagado.

Los pasajeros dormían.
Pero nuestro buen hombre
seguía pegado al cristal
de la ventanilla.
Había salido a ver mundo.
Y miraba.

Miraba la costa,
las rocas, las calas...
Y las gaviotas,
que también dormían.

Miraba a los pescadores,
que buscaban,
con la ayuda de potentes linternas,
los peces debajo del agua.

Miraba aquellos añicos de tierra
que eran las islas.

Y miraba los faros,
que siempre competían
para ver cuál
hacía más juegos de luz.

Después,
le llamó la atención una playa.
Le pareció la más hermosa del
mundo.

Y se quedó encandilado,
contemplándola
en medio de la noche.

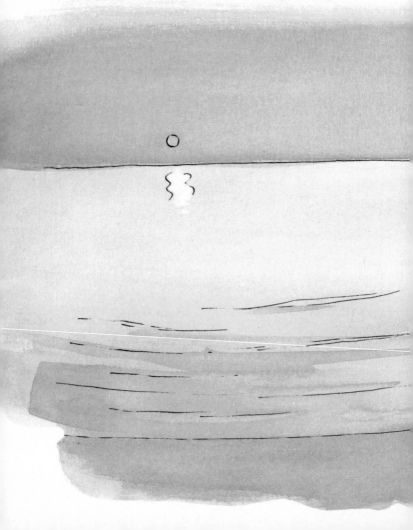

Y cuanto más la miraba,
más bonita la encontraba.
Y así pasó un buen rato.

Después,
se acordó de una pequeña cala
que había visto antes que la playa.
Y se encaramó un poco
para contemplarla de nuevo.

Y recordó también
que todo lo que había visto
le había gustado mucho.
Y subió un poco más,
cielo arriba,
para verlo otra vez.

Y cada vez subía más arriba.

Y cada vez veía cosas nuevas.
Y todas le gustaban.

Y subía, subía,
hasta que su ojo de buey
fue pequeño como una estrella.
Y desde arriba vio el mundo entero
de una sola ojeada:
¡maravilloso!

De golpe, localizó el barco
como un puntito en medio del mar.
Y se dio cuenta
de que se había entretenido mucho
y el barco seguía su rumbo.

Entonces bajó corriendo.
Le habían dicho
que entrar a puerto
de madrugada
era la cosa más fantástica
del mundo.

¡Y no quería perdérsela!

EL BARCO DE VAPOR

SERIE BLANCA (primeros lectores)

1 / *Pilar Molina Llorente,* **Patatita**

2 / *Elisabeth Heck,* **Miguel y el dragón**

4 / *Tilman Röhrig,* **Cuando Tina berrea**

5 / *Mira Lobe,* **El fantasma de palacio**

6 / *Carmen de Posadas,* **Kiwi**

7 / *Consuelo Armijo,* **El mono imitamonos**

8 / *Carmen Vázquez-Vigo,* **El muñeco de don Bepo**

9 / *Pilar Mateos,* **La bruja Mon**

10 / *Irina Korschunow,* **Yaga y el hombrecillo de la flauta**

11 / *Mira Lobe,* **Berni**

12 / *Gianni Rodari,* **Los enanos de Mantua**

13 / *Mercè Company,* **La historia de Ernesto**

14 / *Carmen Vázquez-Vigo,* **La fuerza de la gacela**

15 / *Alfredo Gómez Cerdá,* **Macaco y Antón**

16 / *Carlos Murciano,* **Los habitantes de Llano Lejano**

17 / *Carmen de Posadas,* **Hipo canta**

18 / *Dimiter Inkiow,* **Matrioska**

19 / *Pilar Mateos,* **Quisicosas**

20 / *Ursula Wölfel,* **El jajilé azul**

21 / *Alfredo Gómez Cerdá,* **Jorge y el capitán**

22 / *Concha López Narváez,* **Amigo de palo**

23 / *Ruth Rocha,* **Una historia con mil monos**

24 / *Ruth Rocha,* **El gato Borba**

25 / *Mira Lobe,* **Abracadabra, pata de cabra**

26 / *Consuelo Armijo,* **¡Piiii!**

27 / *Ana María Machado,* **Camilón, comilón**

28 / *M. Beltrán/T. M. Boada/R. Burgada,* **¡Qué jaleo!**

29 / *Gemma Lienas,* **Querer la Luna**

30 / *Joles Sennell,* **La rosa de San Jorge**

31 / *Eveline Hasler,* **El cerdito Lolo**

32 / *Otfried Preussler,* **Agustina la payasa**

33 / *Carmen Vázquez-Vigo,* **¡Voy volando!**

34 / *Mira Lobe,* **El lazo rojo**

35 / *Ana María Machado,* **Un montón de unicornios**

36 / *Ricardo Alcántara,* **Gustavo y los miedos**

37 / *Gloria Cecilia Díaz,* **La bruja de la montaña**

38 / *Georg Bydlinski,* **El dragón color frambuesa**

39 / *Joma,* **Un viaje fantástico**

40 / *Paloma Bordons,* **La señorita Pepota**

41 / *Xan López Domínguez,* **La gallina Churra**

42 / *Manuel L. Alonso,* **Pilindrajos**

43 / *Isabel Córdova,* **Pirulí**

44 / *Graciela Montes,* **Cuatro calles y un problema**

45 / *Ana María Machado,* **Abuelita aventurera**

46 / *Pilar Mateos,* **¡Qué desastre de niño!**

47 / *Barbara Brenner y William H. Hooks,* **El León y el Cordero**

48 / *Antón Cortizas,* **El lápiz de Rosalía**

49 / *Christine Nöstlinger,* **Ana está furiosa**

50 / *Manuel L. Alonso,* **Papá ya no vive con nosotros**

51 / *Juan Farias,* **Las cosas de Pablo**

52 / *Graciela Montes,* **Valentín se parece a...**

53 / *Ann Jungman,* **La Cenicienta rebelde**

54 / *Maria Vago,* **La cabra cantante**

55 / *Ricardo Alcántara,* **El muro de piedra**

56 / *Rafael Estrada,* **El rey Solito**

57 / *Paloma Bordons,* **Quiero ser famosa**

58 / *Lucía Baquedano,* **¡Pobre Antonieta!**

59 / *Dimiter Inkiow,* **El perro y la pulga**

60 / *Gabriella Kesselman,* **Si tienes un papá mago**

61 / *Rafik Schami,* **La sonrisa de la luna**

62 / *María Victoria Moreno,* **¿Sopitas con canela?**

63 / *Xosé Cermeño,* **Nieve, renieve, requetenieve**

64 / *Sergio Lairla,* **El charco del príncipe Andreas**

65 / *Ana María Machado,* **El domador de monstruos**

EL BARCO DE VAPOR

SERIE AZUL (a partir de 7 años)

1 / *Consuelo Armijo*, El Pampinoplas
2 / *Carmen Vázquez-Vigo*, Caramelos de menta
3 / *Montserrat del Amo y Gili*, Rastro de Dios
4 / *Consuelo Armijo*, Aniceto, el vencecanguelos
5 / *María Puncel*, Abuelita Opalina
6 / *Pilar Mateos*, Historias de Ninguno
7 / *René Escudié*, Gran-Lobo-Salvaje
8 / *Jean-François Bladé*, Diez cuentos de lobos
9 / *J. A. de Laiglesia*, Mariquilla la Pelá y otros cuentos
10 / *Pilar Mateos*, Jeruso quiere ser gente
11 / *María Puncel*, Un duende a rayas
12 / *Patricia Barbadillo*, Rabicún
13 / *Fernando Lalana*, El secreto de la arboleda
14 / *Joan Aiken*, El gato Mog
15 / *Mira Lobe*, Ingo y Drago
16 / *Mira Lobe*, El rey Túnix
17 / *Pilar Mateos*, Molinete
18 / *Janosch*, Juan Chorlito y el indio invisible
19 / *Christine Nöstlinger*, Querida Susi, querido Paul
20 / *Carmen Vázquez-Vigo*, Por arte de magia
21 / *Christine Nöstlinger*, Historias de Franz
22 / *Irina Korschunow*, Peluso
23 / *Christine Nöstlinger*, Querida abuela... Tu Susi
24 / *Irina Korschunow*, El dragón de Jano
25 / *Derek Sampson*, Gruñón y el mamut peludo
26 / *Gabriele Heiser*, Jacobo no es un pobre diablo
27 / *Klaus Kordon*, La moneda de cinco marcos
28 / *Mercè Company*, La reina calva
29 / *Russell E. Erickson*, El detective Warton
30 / *Derek Sampson*, Más aventuras de Gruñón y el mamut peludo
31 / *Elena O'Callaghan i Duch*, Perrerías de un gato
32 / *Barbara Haupt*, El abuelo Jakob
33 / *Klaus-Peter Wolf*, Lili, Diango y el sheriff
34 / *Jürgen Banscherus*, El ratón viajero
35 / *Paul Fournel*, Supergato
36 / *Jordi Sierra i Fabra*, La fábrica de nubes
37 / *Ursel Scheffler*, Tintof, el monstruo de la tinta
38 / *Irina Korschunow*, Los babuchos de pelo verde

39 / *Manuel L. Alonso,* La tienda mágica

40 / *Paloma Bordons,* Mico

41 / *Haze Townson,* La fiesta de Víctor

42 / *Christine Nöstlinger,* Catarro a la pimienta (y otras historias de Franz)

43 / *Klaus-Peter Wolf,* No podéis hacer esto conmigo

44 / *Christine Nöstlinger,* Mini va al colegio

45 / *Laura Beáumont,* Jim Glotón

46 / *Anke de Vries,* Un ladrón debajo de la cama

47 / *Christine Nöstlinger,* Mini y el gato

48 / *Ulf Stark,* Cuando se estropeó la lavadora

49 / *David A. Adler,* El misterio de la casa encantada

50 / *Andrew Matthews,* Ringo y el vikingo

51 / *Christine Nöstlinger,* Mini va a la playa

52 / *Mira Lobe,* Más aventuras del fantasma de palacio

53 / *Alfredo Gómez Cerdá,* Amalia, Amelia y Emilia

54 / *Erwin Moser,* Los ratones del desierto

55 / *Christine Nöstlinger,* Mini en carnaval

56 / *Miguel Ángel Mendo,* Blink lo lía todo

57 / *Carmen Vázquez-Vigo,* Gafitas

58 / *Santiago García-Clairac,* Maxi el aventurero

59 / *Dick King-Smith,* ¡Jorge habla!

60 / *José Luis Olaizola,* La flaca y el gordo

61 / *Christine Nöstlinger,* ¡Mini es la mejor!

62 / *Burny Bos,* ¡Sonría, por favor!

63 / *Rindert Kromhout,* El oso pirata

64 / *Christine Nöstlinger,* Mini, ama de casa

65 / *Christine Nöstlinger,* Mini va a esquiar

66 / *Christine Nöstlinger,* Mini y su nuevo abuelo

67 / *Ulf Stark,* ¿Sabes silbar, Johanna?

68 / *Enrique Páez,* Renata y el mago Pintón

69 / *Jürgen Bauscherus,* Kiatoski y el robo de los chicles

70 / *Jurij Brezan,* El gato Mikos

71 / *Michael Ende,* La sopera y el cazo

72 / *Jürgen Bauscherus,* Kiatoski y la desaparición de los patines